Loreto de Miguel y Alba Santos

GRUPO DIDASCALIA, S.A.
Plaza Ciudad de Salta, 3 - 28043 MADRID - (ESPAÑA)
TEL.: (34) 914.165.511 - FAX: (34) 914.165.411

Colección **"Para que leas"**:
Dirigida por Lourdes Miquel y Neus Sans

Primera edición: 1987
Segunda edición: 1993
Tercera edición: 1995
Primera reimpresión: 1996
Segunda reimpresión: 1998
Tercera reimpresión: 1999
Cuarta reimpresión: 1999

Diseño de colección y cubierta: *Angel Viola*
Ilustraciones: *Mariel Soria*

ISBN: 84-7711-019-0
Depósito legal: M-34332-1999
Impresión: RÓGAR, S.A.
Encuadernación: PERELLÓN, S.A.

Impreso en España
Printed in Spain

El cielo está gris y llueve un poco, pero hace calor. Una tormenta de verano. Pepe Rey baja por la calle San Cristóbal hasta la Calle Mayor[1] con una pequeña maleta negra. En la Calle Mayor coge un taxi.

—A Barajas[2], por favor. Salidas nacionales.

El taxista tiene ganas de hablar, pero Pepe no y le contesta con monosílabos. Normalmente encuentra interesante hablar con los taxistas pero hoy no le apetece. Tiene que ir a Barcelona a ver a un cliente. Y tiene que ir en avión, y a Pepe lo que más le fastidia es subirse a un avión.

Aunque hoy, con este día gris y caluroso, lo que le gustaría es quedarse en casa leyendo y tomando café con hielo, Barcelona es una ciudad que le entusiasma. Pepe es de origen catalán. Una abuela suya era catalana y, de niño, iba a menudo a Barcelona. Muchas veces recuerda esa casita gris, en el barrio de

Gracia[3], que olía a cebollas y tomates del huerto: la casa de la abuela Amelia.

Camino del aeropuerto, el taxista pone la radio. Suena una vieja canción de los 60, «Lola». Pepe recuerda perfectamente la letra: «La otra noche, bailando estaba con Lolaaaaa... y me dijo que se encontraba muy solaaaa...»[4].

Con la canción se acuerda del verano del 69, en Cadaqués[5]. ¿O fue en Rosas?[6]. No, no, fue en Cadaqués. ¡Qué bien lo paso ese verano! Tenía veinticuatro años. Se acuerda también de una ex-novia, que, por cierto, también se llamaba Lola, como la de la canción. Pepe piensa que Lola fue seguramente la mujer de su vida o, al menos, una de las dos mujeres de su vida, si contamos a Elena, su ex-mujer. «¿Dónde estará ahora Lola? ¿Qué habrá sido de ella?», se pregunta Pepe, nostálgico. Pepe, en el fondo, es un sentimental.

La canción de la radio termina y llegan a Barajas.

* * *

—Ida y vuelta —dice Pepe a una azafata mientras le da una tarjeta de crédito.

—¿Turista?

—Sí.

—Aquí tiene. Puerta dieciséis.

—Gracias.

Entre Madrid y Barcelona hay un vuelo cada hora: el «Puente Aéreo»[7]. Por las mañanas los aviones van llenos de ejecutivos dinámicos y de políticos, con carteras caras y trajes elegantes. Todos van muy

Entre Madrid y Barcelona hay un vuelo cada hora: el «Puente Aéreo».

perfumados. A la vuelta, por la noche, los trajes parecen menos elegantes, las carteras más pesadas y los ejecutivos menos dinámicos. Y ya no huelen a «after shave»[8] de importación. Casi todos han bebido y fumado demasiado. Y a algunos los asuntos no les han ido tan bien como esperaban.

Pepe va a facturar la maleta y a recoger la tarjeta de embarque. El próximo avión sale dentro de media hora. «Me queda tiempo aún para tomar un café con hielo», piensa animándose un poco.

En Barcelona va a alquilar un coche para ir a Sabadell[9]. Tiene que ir a ver al señor Martinell, un rico industrial que tiene fábricas de pantalones vaqueros. Ramón Martinell no ha querido explicarle nada por teléfono, sólo que necesita un detective privado en Madrid.

* * *

Pepe da una vuelta por el vestíbulo del aeropuerto. Compra una revista del corazón, «Hola»[10]. Le entusiasma leer este tipo de revistas cuando viaja, vicio que ninguno de sus amigos comprende.

Se acerca a la cola del Puente Aéreo y, de pronto, ve a alguien conocido. «¡Dios mío! ¡No puede ser! ¡Si es ella...! ¡La mismísima Lola...!

—Lola, Lola... ¡Qué sorpresa! ¿Qué tal?

—Pepe, Pepito... ¡Cuánto tiempo!

—Estás guapísima, más que nunca.

—¡Bah! ¿Tú crees? Tú estás un poco más gordito, ¿no?

—Sí, los años pasan... ¡Qué le vamos a hacer! —responde Pepe, queriéndole quitar importancia a esos kilos de más que tanto le molestan.

Mirándose aún como piezas de museo y sin saber qué decir, entran en la sala de embarque.

—Así que también vas a Barcelona...

—Sí, a ver a un cliente.

—¿A qué te dedicas ahora?

—No lo vas a creer... Soy... detective privado.

—¡No me digas! ¿Como los de las novelas?

—No, no, ¡qué va! Los de las novelas beben whisky y ligan mucho. Yo sólo bebo vino tinto y no ligo nada.

—Bah, en serio, ¿qué tal te va?

—Psé... Regular. Ultimamente no muy bien. Los españoles todavía no «usamos» detectives privados. ¿Y tú? ¿Qué haces?

—Yo... —Lola duda un momento—. Yo... Tengo una «boutique»[11].

En ese momento Pepe nota que va muy bien vestida. Lleva un traje beige de última moda, muy diferente de los jerseys anchos y los vaqueros viejos de cuando eran novios en la Universidad y corrían delante de los «grises»[12].

Suben al avión y Pepe empieza a sentirse mejor. Está casi contento, con Lola al lado, aunque esté en un avión.

Una azafata les sirve un zumo de naranja artificial.

—¿Dónde vas a estar en Barcelona?

—He reservado una habitación en el Hotel Colón[13]. Siempre voy a ese hotel. Es céntrico y, además, me encanta ver la Catedral desde la cama.

—Sí, debe ser una maravilla. ¿Vas a quedarte mucho tiempo en Barcelona?

—No sé... Un par de días. Depende. ¿Y tú?

—También depende. Unos cuantos días, creo.

A Pepe le parece que, cuando hablan del viaje de Lola a Barcelona, ésta se pone seria y cambia de tema. «Bah, manías, deformación profesional. Siempre creo notar cosas raras...», piensa Pepe.

—Lola, ¿qué día quedamos para cenar? ¿Esta noche o mañana? Podríamos ir a tomar una paella a la Barceloneta[14], por ejemplo. Con este calor, al lado del mar...

—Me gustaría mucho, pero...

—Conozco un sitio en el que... —dice Pepe cada vez más animado.

—Pepe, seguramente no voy a poder —dice Lola, muy seria, cortándole.

—Bah, mujer... ¿Dónde puedo encontrarte?

—No sé. Mejor te llamo yo al hotel cuando pueda.

—No, cuando puedas, no. Me llamas esta noche sobre las ocho. ¿Vale? Toma, aquí tienes el número —dice Pepe mientras lo anota en una servilleta de papel.

En el Prat[15] se despiden.

—¿Hacia dónde vas? ¿Te llevo? Contigo al fin del mundo...

—Gracias, Pepe, pero me están esperando.

—Bueno, pues, hasta la noche.

—Hasta... hasta luego —responde Lola otra vez muy seria.

Pero Pepe está contento y no lo nota. Se siente veinte años más joven, casi como en el 69.

Son las 11,30 h. Si se da prisa, podrá llegar a Sabadell a ver a su cliente, antes de comer. Alquila un pequeño Seat[16] y cruza muy rápido la ciudad. En el Mediterráneo hace sol y mucho calor. Pepe canta, una y otra vez, una vieja canción de los 60, durante los 30 kilómetros de autopista hasta Sabadell. Desde hace tiempo no se había sentido tan bien.

* * *

Un hombre alto, con ojos inteligentes y pelo blanco, le está esperando en las oficinas de una fábrica textil. Es el señor Martinell, su cliente.

—Señor Rey, encantado.

—Mucho gusto.

—Siéntese, siéntese.

Y el señor Martinell empieza a explicarle su historia. Quiere encontrar a su hija, una chica de veinte años que se ha ido con un trompetista cubano que, por cierto, no le cae nada bien al señor Martinell.

Al final dice:

—No puede ser... Mi hija ha cambiado. No lo entiendo. Usted tiene que encontrarla y traérmela. Me han dicho que está en Madrid.

—Señor Martinell, lo siento. Yo no me dedico a este tipo de casos. Lo siento, de veras, pero su hija es mayor de edad y... En fin, tengo colegas que sí lo hacen. Aquí tiene la dirección de uno muy bueno. Se lo recomiendo.

Es evidente que Pepe es un sentimental.

Gabriel Martinell tiene muy buen carácter y no se enfada casi nunca. En realidad, sólo se enfada cuando su hija se fuga con trompetistas cubanos.

—¡Qué pena, hombre! Con lo bien que me había caído usted... Me ha parecido un hombre inteligente, verdaderamente inteligente.

Pepe vuelve muy despacito a Barcelona, aunque el paisaje no es nada interesante: fábricas y más fábricas.

Ya no tiene nada que hacer en Barcelona. Podría volver a Madrid pero... ¡Ni hablar! ¡Esta noche ha quedado con Lola! Ya lo ha decidido: va a llevarla a «El senyor Perellada», un restaurante de cocina catalana, muy bueno y bien de precio, en la calle Platería, cerca de Santa María del Mar[17], la iglesia gótica más bonita de Barcelona a su modo de ver. Luego, darán un paseo por el Barrio Gótico[18], tomarán una copa por ahí o se sentarán a mirar el mar, ese mar que está tan lejos de Madrid.

Ahora está ya harto de cruzar barrios «dormitorio». Cuando llegue al hotel, se dará una buena ducha y se pondrá a leer la última novela de Vargas Llosa que se compró para el viaje. Y, luego, sobre las ocho, le llamará Lola.

* * *

En la recepción se dirige a un recepcionista que tiene cara de «cantaor»[19] o a Pepe se lo parece.

—Buenos días. Tengo una habitación reservada.

—¿A qué nombre?

—José Rey[20].

—Sí, aquí está. Jaime, acompaña al señor. Trescientos quince.

Pepe sube a la habitación y, después de una larga ducha fría, aunque sólo son las siete menos cuarto, empieza ya a esperar la llamada de Lola.

Pero Lola no llama ni a las ocho, ni a las nueve, ni a las diez. Pepe se ha tomado cinco cervezas y se siente muy cansado. «¿Por qué no llama? ¿Qué le habrá pasado? ¡Qué raro!», piensa Pepe, tumbado en la cama, sin poder prestar atención ni a la novela ni a la tele que está puesta.

A las diez y cuarto decide bajar a recepción y preguntar.

—Oiga, estoy esperando una llamada y... Quiero decir que..., ¿han dejado algún recado para mí?

—A ver... Sí. Aquí hay una nota. Sí, ahora me acuerdo. Ha venido una señora. Yo le he dicho que usted estaba en la habitación pero... Bueno, ella ha dicho que no quería molestarle.

La nota dice:

> *«Pepito querido:*
> *No puedo cenar contigo. O sea, que otro día será...*
> *Mil besos,*
>
> > *Lola»*

* * *

Pepe decide dar un paseo por el Barrio Gótico. A ver si se le pasa el mal humor. ¡Tenía tantas ganas de hablar con Lola de aquel verano en Cadaqués! De mirar el pasado en los ojos color de miel de Lola...

Lentamente se dirige hacia la Rambla de Cataluña[21], que en verano, de noche, está llena de «travestis» y de barceloneses que luchan contra el calor en las terrazas de los bares.

Se sienta en «La Jijonenca» y pide una horchata[22]. ¡Qué curioso! En Madrid nunca toma horchata, pero siempre que viene a Barcelona sí... Será que es una bebida mediterránea. Pero la horchata y la cerveza no combinan muy bien, y después de tomársela aún se siente peor y más triste.

Empieza a bajar hacia la Plaza Cataluña[23]. Un «travesti» espectacular le guiña un ojo y le echa un piropo[24]

Al día siguiente, no sabe muy bien por qué, tiene la sensación de que no puede marcharse, de que tiene que encontrar a Lola. Algo raro le está pasando. Pero no tiene ni idea de dónde buscarla. Barcelona es muy grande.

Hace calor pero del mar llega un aire agradable. Pepe ha decidido, después del desayuno, ir a leer el periódico bajo los árboles de Las Ramblas[25]. Va a pie, cruzando el Barrio Gótico. Pasa por la Plaza del Rey y, después de entrar un momento en el Claustro de la Catedral, por la Plaza San Jaime[26]. Edificios centenarios y miles de pequeñas tiendas de todo tipo: joyas y cerámica, libros viejos y zapatos, pintura y ropa...

Por fin llega a Las Ramblas, seguramente una de las calles más pobladas y más cosmopolitas del mundo. Como siempre, hay jubilados y estudiantes, proxenetas y parados, amas de casa y prostitutas, traficantes de droga y floristas, maestros con niños y viejecitos con caniches. Y soldados, y turistas japoneses, y exiliados iraníes, y trabajadores emigrantes marroquíes. O sea de todo. Incluso un detective privado que busca, sin saber por qué, a una ex-novia.

Pepe Rey compra «La Vanguardia» y «El Periódico»[27], pero, cuando acaba de sentarse a la sombra, bajo los plátanos, ve entre la gente una figura

Cruzando el Barrio Gótico.

conocida. Era lógico, también Lola tenía que estar en Las Ramblas. Algo le hace quedarse quieto y observarla. Está muy cambiada. No lleva el elegante traje del avión, sino una camiseta negra, unos vaqueros y unas botas que le dan un aire joven y un poco agresivo. Lleva gafas de sol. Por eso no la ha reconocido al principio. Pasa delante de Pepe sin verle. Anda rápido, mirando al suelo.

De repente, ante un quiosco, se para. Un joven que parece latinoamericano, colombiano o peruano, se pone a su lado y le da algo. Sin decirle nada, Lola coge el pequeño objeto y se lo mete en el bolso.

«¡Qué raro! ¿Qué le habrá dado?», piensa Pepe sorprendido.

Sin decirle adiós, Lola se aleja del joven y Pepe empieza a seguirla. Lola entra en el Mercado de la Boquería[28]. Compra una manzana y empieza a comérsela. Pepe la observa a unos veinte metros. Lola anda deprisa, cruza el mercado y sale por la puerta de atrás. Al cabo de unos diez minutos están en la Calle Nou de la Rambla, antes Conde del Asalto, una calle llena de tiendas de novia y de ropa para hacer «strip-tease», en el corazón del Barrio Chino[29]. Lola entra en un bar de esos que huelen a aceite y que siempre tienen la TV puesta. Pepe decide esperarla fuera. Algo le dice que Lola tiene problemas o que le pasa algo raro. Una hora después a Pepe le duelen los pies y Lola no ha salido todavía. «¿Qué estará haciendo ahí dentro? Voy a entrar. Si me ve... Pues nada, le diré que pasaba por aquí y...», piensa Pepe nervioso.

Pero Lola no está dentro del bar. Quizá esté en los lavabos.

16

Era lógico, también Lola tenía que estar…

—Al fondo, a la izquierda —dice el dueño del bar de mal humor.

Pepe entra, pero tampoco allí está Lola. Piensa que es muy extraño.

—Oiga, ¿no ha entrado hace un ratito una señorita rubia con una camiseta negra?

—Yo qué sé —responde el dueño de un modo antipático—. Aquí entran muchas «señoritas».

Es evidente que no va a darle ninguna información. A lo mejor, sin darse cuenta, ha empezado a parecerse un poco a su principal rival, el inspector Romerales. «¡Dios mío! ¿Tendré cara de policía?» —se pregunta Pepe preocupadísimo—. Y este barrio está en guerra con la policía...»

«¿Por dónde habrá salido Lola?» No logra entenderlo. Vuelve al lavabo. Hay una ventana abierta que da a un patio húmedo y sucio. «Ha salido por aquí. Está huyendo. ¿De quién? Espero que no sea de mí...», piensa Pepe.

* * *

No sabe qué hacer. Entra en una cabina y llama a Susi, su secretaria.

—Susi, tengo trabajo para ti. Necesito toda la información que puedas encontrar sobre Lola Martínez Uría. Tiene treinta y ocho años y no sé dónde vive. Sus padres vivían en la calle Goya, ciento treinta y cuatro. Quizá viven todavía allí. Diles que vas de mi parte. A lo mejor todavía se acuerdan de mí. Lola dice que tiene una «boutique», pero no estoy seguro... Tal vez no sea cierto.

—De acuerdo, jefe —dice Susi sin mucho entusiasmo—. ¡Con lo tranquila que yo estaba! Llámeme dentro de un par de horitas, ¿vale?

—Hasta luego.

—¿Qué tiempo hace en Barcelona, jefe?

—Calor, Susi, mucho calor.

—¿Como en Madrid?

—Sí, más o menos, pero más húmedo.

* * *

Dos horas más tarde Pepe Rey vuelve a llamar a Susi.

—Hola, jefe. Me he enterado de muchas cosas.

—Cuenta, cuenta.

—He hablado con la madre. Dice que a su hija le pasa algo raro y que están muy preocupados. Por lo visto hace un par de años se divorció. Estaba casada con un tal Luis Manzanares, un ingeniero muy rico. Todo el mundo creía que eran una pareja muy feliz pero... Bueno, pues, se divorció y dejó su trabajo de diseñadora de joyas. Y se fue de Madrid.

—Sí, eso ya lo sabía.

—Estuvo una temporada viajando: París, Ginebra, Montecarlo... Ahora nadie sabe dónde está. Ni qué hace. Ni sus padres, ni su ex-marido, ni sus amigos... Sólo saben que salía con un sudamericano. ¡Ah! Por cierto, la madre de Lola me ha dado muchos recuerdos para usted.

—Susi, ¿qué pensabas hacer esta tarde?

—Pues, sinceramente, jefe, irme prontito de la oficina para darme un baño en una piscina. Es que hace un calor... Pero, venga, jefe, ¿qué quiere?

—Pues que vayas a ver a Romerales.

—¿A Romerales? ¡No puede ser, jefe! ¿Desde cuándo le pedimos ayuda a ese imbécil?

—Desde hoy, Susi. Escúchame. En mi mesa, en el tercer cajón de la derecha encontrarás una foto de una mujer.

—Está cerrado con llave.

—Susi, no me pongas nervioso. Sé perfectamente que tienes llave de mi mesa.

—Hummm...

—Coges esa foto y vas a ver a Romerales. A ver si puede darnos información.

—A sus órdenes.

* * *

Pepe Rey sigue paseando. Tiene que esperar. No puede hacer más. Coge un autobús que le lleva a la parte alta de la ciudad. Tiene ganas de ver otra vez el Parque Güell[30], el parque más extraño y más bonito del mundo en su opinión. Unos niños juegan al escondite[31]. «Como Lola y yo», piensa Pepe.

A las dos horas vuelve a llamar a Madrid. Susi le explica que Romerales se ha ido a Toledo[32]. Han asesinado a una viuda millonaria que ha aparecido flotando en el Tajo[33] y no volverá hasta mañana.

Tiene la noche libre y mira en su agenda. ¿A qué viejo amigo catalán llamar? Mercedes está en Menorca[34]. A Jordi, sí, a Jordi Palau[35], un viejo amigo de la «mili»[36]. Pero Jordi Palau no contesta. «Claro, ¿quién va a estar en Barcelona un viernes por la tarde con este calor y con la Costa Brava a tan pocos kilómetros?», piensa Pepe un poco triste.

No importa: va a ir a comerse una paella de mariscos con una botella de cava[37]. Aunque sea solo. Coge un taxi y va hacia la Barceloneta.

Pero el mundo es un pañuelo[38], y en el merendero de la Barceloneta, «El Salmonete», mejor y más barato que el famoso «Can Costa»[39], está Jordi Palau con un grupo de amigos. Con ellos, junto al mar, Pepe pasa una noche estupenda: paella, vino peleón[40], olor a mar y gente maja. Después, hacia las tres de la madrugada, y después de un baño, chocolate con churros en la Ciudadela[42].

El sábado Susi le llama al hotel a las diez. Pepe todavía duerme. Anoche tomó más sangría[42] que paella y le duele la cabeza.

—Noticias, jefe.

—¿Buenas o malas?

—Pues, no sé. Usted verá: Romerales dice que Dolores Martínez Uría, alias «Lulú», dirige o ha dirigido una banda de ladrones muy especiales. Sólo roban joyas muy buenas a gente muy rica. Cree que fue ella quien robó hace un par de meses un brillante muy valioso, la «Luna Azul», que era de la condesa de Puigserver, una famosa aristócrata catalana.

—¿Dirige ella una banda?

—Eso dice Romerales. Bueno, puede ser que ahora trabaje sola. La policía la busca desde hace mucho tiempo.

—¿Algo más?

—No. Bueno, sí. ¿Sabe qué, jefe? Romerales estuvo muy simpático conmigo.

—Sí, ya veo.

—Me ha invitado al cine.

—¡Susi! Supongo que no vas a aceptar, ¿verdad?

—Pues no sé...

* * *

«¡Lo que faltaba! Susi ligando con el inspector Romerales. ¡Qué barbaridad!», piensa Pepe.

Pepe se queda un rato en la cama. Tiene la sensación de estar en un callejón sin salida. Pero a los diez minutos vuelve a sonar el teléfono.

—¿José Rey?

—Sí, soy yo.

—Soy Romerales.

—Usted dirá.

—Me he enterado por su secretaria, que, por cierto, es una chica muy simpática, que es usted amigo de Dolores Martínez Uría.

—Lo era, al menos...

—Por una vez voy a necesitarle. ¿Qué sabe usted de las esmeraldas de la duquesa Von Bacher?

—Absolutamente nada.

—¿Seguro?

—Segurísimo. Pero me encantaría saber qué pasa.

—Pues que las acaban de robar del Hotel Colón, donde está usted alojado. Me han llamado para que vaya a Barcelona. Usted no se mueva de ahí, Rey.

—¿Es cierto todo eso de la banda de ladrones, Romerales?

—No creerá que le llamo para saludarle.

—Es evidente que no.

Pepe Rey baja corriendo a la recepción. Hay fotógrafos, periodistas, policías y el recepcionista con cara de «cantaor» aterrorizado. El recepcionista se seca la frente con un pañuelo y, aún temblando, dice:

—Señor Rey, «ella» ha dejado un recado para usted.

Los policías le miran sorprendidos. Pepe toma la nota que le da y lee:

> *«Cariño:*
>
> *¿Por qué precisamente este hotel? Aquí estaban las esmeraldas más bonitas de Europa.*
>
> *Cuando leas esto, yo estaré camino de Brasil. ¿Qué noche cenamos juntos en Río de Janeiro? Sinceramente, me encantaría recordar juntos el verano del sesenta y nueve.*
>
> *Besos.»*

Notas

(1) La Calle Mayor es la calle principal del viejo Madrid histórico. Como en Madrid, en muchos pueblos y ciudades de España, la arteria principal del casco antiguo se llama «Calle Mayor». Pepe Rey vive en la Calle de la Sal, callejuela muy cercana a la Calle Mayor.

(2) Barajas es el Aeropuerto de Madrid. Está situado a 16 km. del centro, en la carretera de Barcelona.

(3) Gracia fue durante siglos un pueblo cercano a Barcelona. Actualmente es un barrio de la ciudad pero conserva una marcada personalidad propia y ciertas tradiciones. Aunque hay muchas construcciones modernas, predominan las casas bajas, de uno o dos pisos, algunas con jardín o huerta.

(4) Letra de la canción «Lola», muy popular en la España de la época. Lola es la forma familiar de Dolores.

(5) Pueblo de pescadores de la Costa Brava, al NE de España, convertido en la actualidad en un pueblo turístico muy cotizado y frecuentado por artistas e intelectuales. Es célebre también por haber sido residencia del pintor Salvador Dalí.

(6) Pequeña ciudad de la Costa Brava próxima a Cadaqués.

(7) Se trata de vuelos en los que no se puede reservar billetes y que salen cada hora. Sólo existen entre Madrid y Barcelona, al ser éstas las dos ciudades más importantes (Madrid, la capital administrativa, y Barcelona, el más importante núcleo industrial).

(8) Es de uso general este anglicismo. No se utiliza en el habla ningún término castellano equivalente.

(9) Sabadell es un gran núcleo industrial, próximo a Barcelona, cuya producción más importante es la de la industria textil.

(10) Entre las revistas cuyo tema es la vida privada de los famo-
sos, de la aristocracia y del mundo del espectáculo, *Hola*
es la de mayor tirada.

(11) Suele emplearse el término «boutique» para designar pequeñas tiendas de ropa de cierta categoría.

(12) Durante la dictadura franquista, a los miembros de la Policía Armada se les llamaba los «grises», debido al color de
su uniforme. Eran los «grises» los encargados de la repre-
sión de las manifestaciones antifranquistas, muy frecuentes
durante el período de la Dictadura y la Transición.

(13) Famoso hotel situado frente a la Catedral.

(14) Barrio de pescadores de Barcelona, donde, junto a las
playas, hay muchos restaurantes y merenderos especializa-
dos en pescado y mariscos.

(15) El Prat es el aeropuerto de Barcelona. Está a unos 20 km.
del centro, hacia el sur.

(16) Única marca de coches de fabricación española (1987).

(17) Santa María del Mar es una iglesia gótica del siglo XIV
situada en uno de los más interesantes barrios de Barcelona: barrio medieval con pintorescas callejuelas, palacios y
edificios de los siglos XV, XVI y XVII e importantes museos,
como el Museo Picasso.

(18) El Barrio Gótico corresponde al centro de la vida urbana
de la Barcelona medieval y en él se encuentran los principales edificios de la época, como la Catedral.

(19) «Cantaor» es el término con que se designa a los cantantes
de flamenco.

(20) «Pepe» es la forma familiar de José. En un hotel, Pepe Rey
utiliza la forma oficial de su nombre de pila.

(21) La Rambla de Cataluña es una de las principales calles del Ensanche barcelonés, parte de la ciudad construida a finales del siglo XIX y principios del XX. En verano, la Rambla de Cataluña, al haber muchas terrazas de bares bajo los árboles, es una zona muy concurrida. En los últimos años se ha convertido en cita habitual de «travestis» y prostitutas.

(22) Refresco muy popular en verano. Se elabora exprimiendo chufas, pequeño tubérculo de sabor dulce. Es una bebida de origen valenciano.

(23) La Plaza Cataluña se ha considerado siempre el centro de la ciudad.

(24) En España es relativamente frecuente que los hombres digan cosas en la calle a las mujeres elogiando su belleza o atractivos, a veces, de modo soez. A esto se le llama «echar un piropo».

(25) Las Ramblas es un paseo que va desde la Plaza de Cataluña hasta el mar. Es probablemente la vía más famosa de Barcelona, lugar de paso obligado de todas las manifestaciones y celebraciones festivas o cívicas de la ciudad.
Son típicos de Las Ramblas sus puestos de flores y de animales domésticos y sus quioscos, así como su permanente y febril ambiente, de día y de noche. Bajo los árboles se alquilan sillas durante el día.

(26) Plaza central del Barrio Gótico donde se encuentra el Ayuntamiento y el Palacio de la Generalitat (Gobierno autónomo catalán). En ella tienen lugar muchas celebraciones y concentraciones populares.

(27) *La Vanguardia* y *El Periódico* son los dos diarios catalanes de mayor tirada, conservador el uno y progresista el otro.

(28) Es el mercado más tradicional de Barcelona. Es de estilo modernista.

(29) El Barrio Chino es la zona donde se concentra la prostitución, el tráfico de drogas y la vida nocturna de los sectores económicamente más débiles y marginados.

(30) Parque construido entre los años 1900 y 1914 por Antonio Gaudí, ejemplo importantísimo del movimiento artístico llamado Modernismo. En Barcelona hay muchísimas muestras arquitectónicas de este estilo.

(31) Popular juego infantil en que un niño debe descubrir dónde se han escondido los demás y cogerlos.

(32) Ciudad castellana monumental, situada al sur de Madrid, de gran interés histórico y artístico.

(33) El Tajo es uno de los ríos más importantes de la Península Ibérica.

(34) Menorca es una de las Islas Baleares y lugar de vacaciones de muchos españoles.

(35) Jordi, Jorge en catalán, es el nombre de pila de varón más frecuente en Cataluña.

(36) La «mili» es la abreviatura coloquial del servicio militar, obligatorio para todos los hombres españoles.

(37) El cava es un vino espumoso, similar al champán, que se produce en Cataluña.

(38) «El mundo es un pañuelo» es una expresión que se utiliza para dar a entender que el mundo es muy pequeño y que es muy fácil encontrar a alguien por casualidad.

(39) «Can Costa» es el restaurante más conocido de la Barceloneta.

(40) Se llama vino «peleón» al vino fuerte y de escasa calidad.

(41) Es una costumbre tradicional ir, después de una noche de juerga, a comer chocolate caliente con churros, masa de harina frita. En Barcelona suele irse a la entrada del Parque de la Ciudadela.

(42) La sangría es una bebida, consumida principalmente en verano, que contiene vino tinto, zumos de fruta, trozos de fruta, algún licor y azúcar. Ultimamente viene considerándose una bebida para bebedores poco exigentes o para turistas.

Notes

(1) La Calle Mayor est la rue principale du vieux Madrid historique. De même qu'à Madrid, dans beaucoup de villages et de villes d'Espagne, l'artère principale de l'ancien centre ville s'appelle Calle Mayor. Pepe Rey vit dans la rue «de la Sal», ruelle située près de la Calle Mayor.

(2) Barajas est l'aéroport de Madrid. Il est situé à 16 km du centre, sur la route de Barcelone.

(3) Gracia a été pendant des siècles un village proche de Barcelone. C'est actuellement un quartier de la ville mais il conserve un caractère propre bien marqué et certaines traditions. Bien qu'il y ait beaucoup de constructions modernes, sont encore les maisons basses, de un à deux étages, quelques-unes avec jardin ou potager, qui prédominent.

(4) Paroles de la chanson «Lola» très populaire dans l'Espagne de l'époque. «Lola» est le diminutif familier de Dolores.

(5) Village de pêcheurs de la Costa Brava, dans le nord-est de l'Espagne, actuellement converti en un village touristique très coté et fréquenté par les artistes et les intellectuels. Il est aussi célèbre car il a été la résidence du peintre Salvador Dalí.

(6) Petite ville de la Costa Brava près de Cadaquès.

(7) Il s'agit de vols sans réservation, partant toutes les heures. Ils n'existent qu'entre Madrid et Barcelone car ce sont les deux villes les plus importantes (Madrid, capitale administrative, et Barcelone, le plus important centre industriel).

(8) Cet anglicisme est d'un usage général. On n'utilise dans le langage parlé aucun terme espagnol équivalent.

(9) Sabadell est un grand centre industriel, près de Barcelone, dont l'industrie textile est la plus importante production.

(10) Parmi les revues dont le thème est la vie privée des célébrités, de l'aristocratie et du monde du spectacle, *Hola* est celle qui a le plus fort tirage.

(11) Le terme «boutique» s'emploie généralement pour désigner de petits magasins de vêtements d'une certaine catégorie.

(12) Pendant la dictature franquiste, on appelait les membres de la Police Armée les «gris» à cause de la couleur de leur uniforme. Les «gris» étaient chargés de la répression des manifestations antifranquistes, très fréquentes à l'époque de la dictature et de la transition.

(13) Célèbre hôtel situé en face de la cathédrale.

(14) Quartier de pêcheurs de Barcelone où, le long des plages, on trouve beaucoup de restaurants et de buvettes dont la spécialité est le poisson et les fruits de mer.

(15) El Prat est l'aéroport de Barcelone. Il se trouve à quelques 20 km du centre, vers le Sud.

(16) Seule marque de voitures de fabrication espagnole (1987).

(17) Santa María del Mar est une église gothique du XIVe siècle situé dans l'un des quartiers les plus intéressants de Barcelone: quartier médiéval aux ruelles pittoresques, palais et maisons du XVe, XVIe et XVIIe siècles et aux importants musées tel le musée Picasso.

(18) Le quartier gothique correspond au centre de la vie urbaine du Barcelone médiéval et c'est là que l'on trouve les principaux monuments de l'époque, telle la cathédrale.

(19) «Cantaor» est le terme qui désigne les chanteurs de Flamenco.

(20) «Pepe» est le diminutif de José. Dans un hôtel Pepe Rey utilise son prénom officiel.

(21) La Rambla de Cataluña est une des rues principales du nouveau quartier de Barcelone, partie de la ville construite fin du XIXe siècle, début du XXe. En été, la Rambla de Cataluña est une zone très fréquentée à cause de ses nombreuses terrasses de café ombragées. Dans les dernières années ce lieu est devenu le rendez-vous habituel des travestis et des prostituées.

(22) Rafraîchissement tres populaire en été. On l'élabore en pressant des «chufas», petits tubercules à la saveur sucrée. C'est une boisson originaire de Valence.

(23) On a toujours considéré la Place Cataluña comme étant le centre de la ville.

(24) En Espagne, il est relativement fréquent que les hommes interpellent les femmes dans la rue en faisant l'éloge de leur beauté ou de leurs attraits, parfois, d'une façon grossière. C'est ce qu'on appelle «echar un piropo».

(25) Las Ramblas est une promenade qui va de la Place Cataluña jusqu'à la mer. C'est probablement l'artère la plus célèbre de Barcelone, endroit de passage habituel de toutes les manifestations et lieu de rencontre pour les fêtes et les différentes célébrations de la ville. Ce qui est typique sur Las Ramblas ce sont ses marchands de fleurs et d'animaux domestiques et ses kiosques de même que son ambiance incessante et fébrile, de jour comme de nuit. Pendant la journée, on loue des chaises à l'ombre des arbres.

(26) Place centrale du Quartier Gothique où se trouve la mairie et le Palais de la Generalitat (Gouvernement autonome catalan). C'est là qu'ont lieu de nombreuses célébrations et concentrations populaires.

(27) *La Vanguardia* et *El Periódico* sont les deux quotidiens catalans de plus fort tirage, l'un conservateur et l'autre progressiste.

(28) C'est le marché le plus traditionnel de Barcelone. Il est de style moderniste.

(29) Le Barrio Chino est la zone où se concentrent la prostitution, le trafic de drogues et la vie nocturne des couches sociales économiquement plus faibles et marginales.

(30) Parc construit entre les années 1900 et 1914 par Antonio Gaudí, exemple très important du mouvement artistique appelé «Art Nouveau». A Barcelone il existe de très nombreux témoignages de l'architecture du même style.

(31) Populaire jeu d'enfants dans lequel l'un d'eux doit découvrir où se sont cachés les autres et les attraper.

(32) Ville de Castille, située au Sud de Madrid, d'un grand intérêt historique et artistique.

(33) Le Tage est l'un des fleuves les plus importants de la Péninsule Ibérique.

(34) Menorque est une des îles Baléares, lieu de vacances de beaucoup d'Espagnols.

(35) Jordi, Georges en catalan, est le prénom masculin le plus fréquent en Catalogne.

(36) La «mili» est l'abréviation familière du service militaire, obligatoire pour tous les hommes espagnols.

(37) Le «cava» est un vin mousseux semblable au champagne que l'on produit en Catalogne.

(38) «El mundo es un pañuelo» est une expression qui s'utilise

pour faire comprendre que le monde est très petit et qu'il est très facile de rencontrer quelqu'un par hasard.

(39) «Can Costa» est le restaurant le plus connu de Barcelonette.

(40) On appelle «vino peleón» le vin fort et d'une qualité médiocre.

(41) Il est de coutume, après une nuit de fête, d'aller prendre un chocolat avec des «churros», pâte à frire passée dans l'huile bouillante. A Barcelone, on va en général à l'entrée du Parc de la Ciudadela.

(42) La sangria est une boisson, consommée principalement en été, composée de vin rouge, de jus de fruits, de morceaux de fruits, d'une liqueur et de sucre. Dernièrement, on la considère de plus en plus comme une boisson pour buveurs peu exigeants ou pour touristes.

Cross references

(1) La Calle Mayor (the High Street) is the main street in the historical old Madrid. In many cities and villages in Spain the main artery in the old part is called the High Street. Pepe Rey lives in Calle de la Sal, a back street near the High Street.

(2) Barajas is the name of Madrid's Airport. It is 16 km. away from the centre on the road to Barcelona.

(3) Gracia has been a village near Barcelona for centuries. At present it is one of the quarters of the city although it has its own characteristics and certain traditions. There are a lot of modern buildings, but most of the houses are low ones with one or two storeys and some of them have gardens.

(4) The lyrics of the song «Lola», which was most popular in Spain at that time. «Lola» is a colloquial form for Dolores.

(5) A fishing village on the Costa Brava in the NE of Spain. It is now a popular resort village frequented by artists and intellectuals. It is well known too because Salvador Dalí, the famous painter, used to live there.

(6) A small town on the Costa Brava near Cadaqués.

(7) These are gourly flights for which there is no need to book the tickets. These flights are only from Madrid to Barcelona and vice-versa since these are the two most important cities. Madrid is the administrative capital city and Barcelona is the most important industrial nucleus.

(8) This is an anglicism. There is no equivalent Spanish word.

(9) Sabadell is an industrial nucleus near Barcelona. Its most important production is the textile industry.

(10) Among the magazines whose topic is informing the public

about the private lives of famous people, of the aristocracy and of actors and actresses, «Hola» is the most widely sold.

(11) The word «boutique» is used to call some small shops where good quality clothes are sold.

(12) In Franco's dictatorship members of the police force were called «grises» owing to the colour of their uniforms. They were in charge of keeping the law and order in demonstrations during the dictatorship and transition periods.

(13) A famous hotel in front of the Cathedral.

(14) Fishing quarter in Barcelona where there are a lot of restaurants and snack bars specialized in fish and seafood near the beaches.

(15) El Prat is the name of Barcelona's Airport. It is some 20 km. away from the centre going South.

(16) Make of cars manufactured in Spain (1987).

(7) Santa Maria del Mar is a gothic church of the 16th century located in one of the most interesting quarters of Barcelona. In this mediaeval quarter there are picturesque streets, palaces and buildings of the 15th, 16th and 17th centuries as well as important museums such as Picasso's Museum.

(18) The Gothic Quarter was the centre of urban life in mediaeval Barcelona and the main building of that time such as the Cathedral are found in it.

(19) «Cantaor» is the word used for flamenco singers.

(20) «Pepe» is a colloquial form for José. Pepe Rey gives the official form of his Christian name at the hotel.

(21) La Rambla de Cataluña is one of the main streets of

Barcelona's Ensanche, a part of he city that was built at the end of the 19th century and the beginning of the 20th. La Rambla de Cataluña is most frequented by the people in summer as there are a lot of café terraces under the trees. In the last few years it has come to be the meeting point of transvestites and prostitutes.

(22) A most popular soft drink in summer. It is made from chufas, a small earth almond of sweettaste. This drinkable was originated in Valencia.

(23) La Plaza de Cataluña has always been considered as the centre of the city.

(24) It is relatively frequent in Spain that men should say things to women praising their beauty and appeal. They are very often vulgar. This is called «echar un piropo» (to pay flitatious compliments to).

(25) Las Ramblas is a promenade from Plaza de Cataluña to the seaside. It is probably one of the most famous streets in Barcelona. It is the customary place where demonstrations, festivals and activities take place.
Flower and pet stand, kiosks and a constant lively atmosphere during the whole day and at night are typical of Las Ramblas. Chairs can be hired by day to sit on under the trees.

(26) This is the central square in the Gothic Quarter where the Town Hall and the Palace of the Generalitat (the name of the autonomous Catalonian government) are. A lot of celebrations and gatherings take place in it.

(27) *La Vanguardia* and *El Periódico* are the two Catalonian dailies most widely sold, the former is conservative and the latter, progressive.

(28) It is the most traditional market in Barcelona. It is modernist style.

(29) The Chinese Quarter is an area where prostitution, drug traffic and night life of the poorer sector and on the fringe of society are centred.

(30) A park built between 1900 and 1914 by Antonio Gaudí. It is a most important instance of the art movement called modernism. There are quite a lot of buildings following this architectural style.

(31) A popular childish game in which a child has to discover where the rest are hiding and catch them.

(32) A monumental Castilian city of great historical and artistic interest located south of Madrid.

(33) The Tagus River is one of the most important rivers of the Iberian Peninsula.

(34) Minorca is one of the Balearic Islants and a resort place for many Spaniards.

(35) «Jordi» is the Catalonian name for George. It is one of the most frequent Christian names in Catalonia.

(36) «Mili» is a diminutive for military service, which is compulsory for every Spanish man.

(37) «Cava» is sparkling wine similar to champagne produced in Catalonia.

(38) «El mundo es un pañuelo» (it's a small world) is a saying used to mean that the world is small and it is easy to meet someone by chance.

(39) «Can Costa» is the best known restaurant in Barceloneta.

(40) «Vino peleón» (cheap wine) is the name given to strong wine of bad quality.

(41)   It is a traditional habit to go and have a cup of hot drinking chocolate and churros (twists of batter deep fried in olive oil) after making a night of it. This is usually done et the entrance to the Parque de la Ciudadela in Barcelona.

(42)   «Sangría» is a beverage drunk mainly in summer. It is made from red wine, fruit juice, fruit pieces, some liquor and sugar. It is now considered as a drinkable for not very exacting consumers and tourists.

Anmerkungen

(1) Die Mayor-Strasse ist die Hauptstrasse des alten, historischen Madrids. In vielen spanischen Dörfern und Städten, ebenso wie in Madrid, heisst die Hauptverkehrsader des Altstadtkerns Calle Mayor. Pepe Rey wohnt in der Sal-Strasse, ein Gässlein ganz in der Nähe der Mayor-Strasse.

(2) Barajas ist der Flughafen von Madrid. Er liegt 16 km von der Stadtmitte entfernt, an der Nationalstrasse nach Barcelona.

(3) Gracia war jahrhundertelang ein Dorf in der Nähe von Barcelona. Heute ist es ein Stadtviertel, das sich trotzdem eine ausgeprägte Persönlichkeit und gewisse Traditionen erhalten hat. Trotz vieler moderner Gebäude, überwiegen niedrige Ein- und Zweifamilienhäuser, einige mit Blumen- oder Gemüsegärten.

(4) Text von dem Lied «Lola», früher sehr beliebt in Spanien. Lola ist der übliche Rufname von Dolores.

(5) Fischerdorf an der Costa Brava, im Nordosten Spaniens, das sich gegenwärtig in ein Touristendorf verwandelt hat. Es wird bevorzugt von Künstlern und Intellektuellen gern besucht und ist ausserdem berühmt, weil es der Wohnort von Salvador Dalí gewesen ist.

(6) Kleine Stadt an der Costa Brava, in der Nähe von Cadaqués.

(7) Es handelt sich hier um Flüge, für die man keine Flugkarten reservieren lassen kann und die stündlich verkehren. Diese Verbindung gibt es nur zwischen Madrid und Barcelona, da es die zwei wichtigsten Städte sind (Madrid, die Verwaltungshauptstadt und Barcelona, das wichtigste Industriezentrum).

(8) Dieser Anglizismus wird allgemein benutzt; im Sprachgebrauch wird kein entsprechender spanischer Begriff verwendet.

(9) Sabadell ist ein grosses Industriezentrum, dessen wichtigster Industriezweig die Textilindustrie ist. Es liegt in der Nähe von Barcelona.

(10) In der Reihe der Zeitschriften, deren Hauptthema das Privatleben von Berühmtheiten, den Aristokraten und Schauspieler ist, ist *Hola* die mit der grössten Auflage.

(11) Man benutzt den Begriff «Boutique» gewöhnlich für kleine Kleidergeschäfte mit Waren gehobener Qualität.

(12) Während der Franco - Diktatur wurden die Mitglieder der bewaffneten Polizei, aufgrund der Farbe ihrer Uniformen, «die Grauen» genannt. Es war Aufgabe der «Grauen», die antifrankistischen Demonstrationen zu unterdrücken, die sehr häufig während der Diktatur und der Übergangszeit stattfanden.

(13) Berühmtes Hotel, gegenüber der Kathedrale.

(14) Das Fischerviertel in Barcelona, wo es am Strand entlang viele Gaststätten und Ausflugslokale gibt, die auf Meeresfrüchte - und Fischgerichte spezialisiert sind.

(15) El Prat ist der Flughafen Barcelonas; er befindet sich 20 km südlich vom Stadtzentrum entfernt.

(16) Die einzige Automarke spanischer Herstellung (1987).

(17) Santa María del Mar ist eine gotische Kirche aus dem 14. Jahrhundert, die in einem der interessantesten Stadtviertel gelegen ist: ein mittelalterliches Viertel mit malerischen Gässchen, Palästen und Gebäuden aus dem 15, 16. und 17. Jahrhundert und wichtigen Museen, wie das Picasso - Museum.

(18) Das gotische Viertel war das Zentrum des Stadtlebens im mittelalterlichen Barcelona. Hier befinden sich die wichtigsten Bauwerke aus dieser Zeit, wie die Kathedrale.

(19) «Cantaor» ist die Bezeichung für die Flamenco - Sänger.

(20) «Pepe» ist der Rufname von José. Im Hotel benutzt Pepe Rey seinen offiziellen Taufnamen.

(21) Die Rambla de Cataluña ist eine der wichtigsten Strassen der städtischen Ausdehnung Barcelonas, der Stadtteil, der Ende des 19. und Anfang des 20. Jahrhunderts gebaut wurde. Da die Rambla de Cataluña über viele, von Bäumen beschatteten strassenncafés verfügt, ist sie im Sommer eine vielbesuchte Strasse. In den letzten Jahren wurde sie zum üblichen Treffpunkt von Transvestiten und Prostituierten.

(22) Sehr beliebtes Erfrischungsgetränk im Sommer. Es wird aus kleinen süssen Knollen, den Erdmandeln, ausgepresst. Es ist ein Getränk aus Valencia.

(23) Der Cataluña -Platz wurde immer als das Zentrum der Stadt angesehen.

(24) In Spanien ist es relativ üblich, dass die Männer auf der Strasse, manchmal auf vulgäre Art und Weise, den Frauen, bezüglich ihrer Schönheit und Attraktivität, hiterherrufen. Das wird «echar un piropo» genannt.

(25) Die Ramblas ist eine Allee, die vom Cataluña - Platz bis zum Meer führt. Es ist wahrscheinlich die berühmteste Strasse von Barcelona, ein obligatorischer Ort für alle Demonstrationen, religi°ose und bürgerlichen Festlichkeiten in der Stadt. Die Verkaufsstände von Blumen und Haustierren und die Kioske sind typisch für die «Ramblas», ebenso wie ihr Tag und Nacht pulsierendes Leben. Unter den Bäumen werden Sthle vermietet.

(26) Zentraler Platz im gotischen Viertel, wo sich das Rathaus

und der Palast der «Generalitat» (autonome Regierung Kataloniens) befinden. Hier finden viele Festlichkeiten und Bürgerversammlungen statt.

(27) *La Vanguardia* und *El Periódico* sind die katalanischen Tageszeitungen mit der grössten Auflage; die erstere konservativ und die andere fortschrittlich orientiert.

(28) Die traditionsreichste Markthalle von Barcelona; erbaut im Jugendstil.

(29) Im chinesischen Viertel konzentrieren sich Prostitution, Drogenhandel und das Nachtleben der ökonomisch schwächsten sozialen Schichten und Randgruppen.

(30) Park; erbaut zwischen 1900 und 1914 von Antonio Gaudí; er ist ein herausragendes Beispiel für die Kunstbewegung, die «Modernismo» genannt wurde. In Barcelona gibt es sehr viele architektonische Beispiele dieser Stilrichtung.

(31) Allgemein beliebtes Versteck- und Fangspiel.

(32) Monumentale Stadt in Kastilien, südlich von Madrid gelegen, von grossem historischen und künstlerischen Interesse.

(33) Der Tajo ist einer der wichtigsten Flüsse der iberischen Halbinsel.

(34) Menorca gehört zur balearischen Inselgruppe und ist Ferienort für viele Spanier.

(35) «Jordi», Georg auf Katalanisch, ist der häufigste Jungenname in Katalonien.

(36) Die «Mili» ist die umgangssprachliche Abkürzung für Militärdienst, Pflicht für all spanischen Männer.

(37) «Cava» ist ein Schaumwein, der nach der Champagner - Methode in Katalonien hergestellt wird.

(38) «Die Welt ist ein Taschentuch» (entspricht: «Die Welt ist ein Handtuch») ist ein Ausdruck, der zu verstehen gibt, dass die Welt sehr klein und es leicht möglich ist, jemanden zufälligerweise zu treffen.

(39) «Can Costa» ist das bekannteste Restaurant in Barcelona.

(40) Als «vino peleón» bezeichnet man einen starken Wein von geringer Qualität.

(41) Nach einer durchzechten Nacht ist es traditioneller Brauch, heisse Schokolade mit «Churros» (frittiertes Mürbteiggebäck) essen zu gehen. In Barcelona macht man das gewöhnlich am Eingang des Ciudadela - Parks.

(42) «Sangría» ist ein Getränk, das man hauptsächlich im Sommer trinkt, zubereitet aus Rotwein, Fruchtsaft, Fruchtstückchen, Likör, und Zucker. In der letzten Zeit neigt man dazu, es als Getränk für wenig anspruchsvolle Trinker oder Touristen anzusehen.